EL CAMBIO
CLIMÁTICO

Título original *Global Warming*
Texto Glenn Murphy
Dirección editorial Natalia Hernández
Traducción y corrección Equipo Susaeta

© Weldon Owen Inc.
© SUSAETA EDICIONES, S.A.
Campezo, s/n - 28022 Madrid
Tel.: 913 009 100 - Fax: 913 009 118
www.susaeta.com
Impreso en Malasia

EL CAMBIO CLIMÁTICO

Glenn Murphy

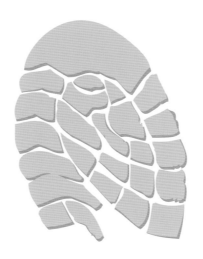

¿Qué
podemos
hacer?

susaeta

Contenido

6 ¿Qué es el calentamiento global?

20
¿Cómo nos afecta?

36
¿Qué medidas se han tomado?

48
¿Qué podemos hacer?

Contaminación causada por las centrales eléctricas Los científicos creen que la actividad humana está provocando el calentamiento de la Tierra. Cuando quemamos combustibles en las centrales para producir energía, generamos gases que retienen el calor del sol dentro de la atmósfera.

¿Qué es el calentamiento global?

Calentamiento veloz

La Tierra se formó hace alrededor de 4.600 millones de años, y su temperatura ha ido cambiando con el paso del tiempo: ha sido más cálida, y también más fría, de lo que es hoy. Sin embargo, el ritmo actual de calentamiento es alarmante. Por primera vez en la historia son los humanos, no la naturaleza, la principal causa de este proceso conocido de forma generalizada como *calentamiento global*.

Glaciaciones Durante largos periodos de tiem la superficie de la Tierra estuvo cubierta de hi casi en su totalidad. Gran parte del hielo se acumuló formando los glaciares.

Núcleo de hielo Los científicos estudian la evolución climática del planeta extrayendo muestras de hielo de las superficies heladas de la Antártida. Analizan las burbujas de aire atrapadas en el hielo miles de años atrás.

Un aumento incesante

Cuando quemamos combustibles, liberamos gases nocivos a la atmósfera. Nuestras emisiones no han dejado de aumentar desde que, a comienzos del siglo XIX, se empezó a quemar carbón en las fábricas. Cuantas más emisiones generamos, más se eleva la temperatura de la Tierra.

1882 Abre sus puertas la primera gran central eléctrica.

1908 Se descubre el primer yacimiento de petróleo en Oriente Próximo.

1913 Sale al mercado el primer coche fabricado en cadena, el Ford T.

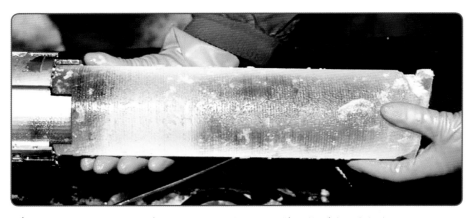

Temperatura media global

| 1850 | 1860 | 1870 | 1880 | 1890 | 1900 | 1910 | 1920 |

La Tierra es hoy una lugar más cálido que en los últimos 1.000 años.

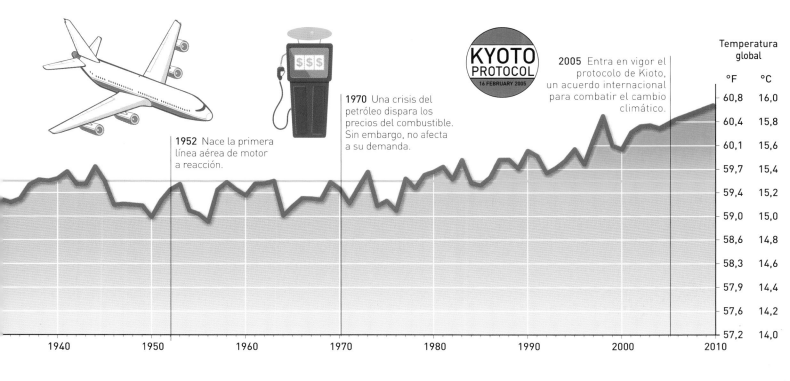

KYOTO PROTOCOL
16 FEBRUARY 2005

2005 Entra en vigor el protocolo de Kioto, un acuerdo internacional para combatir el cambio climático.

1970 Una crisis del petróleo dispara los precios del combustible. Sin embargo, no afecta a su demanda.

1952 Nace la primera línea aérea de motor a reacción.

Temperatura global

°F	°C
60,8	16,0
60,4	15,8
60,1	15,6
59,7	15,4
59,4	15,2
59,0	15,0
58,6	14,8
58,3	14,6
57,9	14,4
57,6	14,2
57,2	14,0

1940   1950   1960   1970   1980   1990   2000   2010

Combustibles fósiles

Todos los seres vivos utilizan y almacenan carbono. Hace millones de años, algunas de las plantas y los animales que morían quedaban enterrados, atrapados y fosilizados bajo el suelo. El petróleo, el carbón y el gas natural, formados a partir de estos restos fosilizados (combustibles fósiles), generan una gran cantidad de dióxido de carbono (CO_2). Esta producción de carbono es hoy, sin embargo, mucho mayor de lo que ha sido nunca antes.

El 70% de la energía utilizada en todo el mundo procede de combustibles fósiles.

Minas de carbón El carbón se extrae de capas subterráneas llamadas vetas. Al quemar carbón, el carbono que contiene es liberado de nuevo a la atmósfera en forma de dióxido de carbono.

Formación del carbón

Turba

Lignito

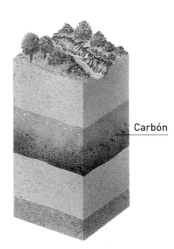

Carbón

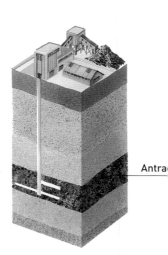

Antra

Vida forestal Hace millones de años, las plantas y animales de bosques pantanosos quedaron enterrados por arena, barro y otras plantas. Se convirtieron en un combustible húmedo llamado turba.

Lignito La turba quedó a su vez enterrada por sedimentos, y el peso de la roca sobre ella eliminó todo resto de agua y aire. Cada vez más comprimida, fue convirtiéndose en carbón vegetal.

Carbón Al aumentar la presión y el calor, el carbono fue concentrándose y oscureciéndose. Nosotros extraemos el carbón en las minas y con él alimentamos las centrales eléctricas.

Antracita La antracita, carbón de la máxima calidad, puede ser carbono casi puro. La utilizamos como combustible para calefacción. Se forma cuando la turba es sometida a calor y presión durante mucho tiempo.

Plataformas petrolíferas en el mar Esta enorme plataforma en construcción frente a las costas noruegas albergará a los trabajadores y la maquinaria necesarios para perforar y bombear el petróleo y el gas natural que quedaron atrapados bajo el mar.

Formación del petróleo y el gas

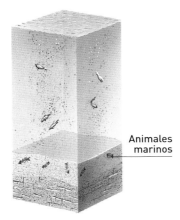

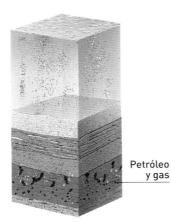

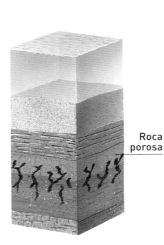

Animales marinos

Petróleo y gas

Roca porosa

Yacimiento

Vida oceánica Cuando los animales marinos mueren, caen al lecho oceánico. A lo largo de millones de años sus cuerpos quedan sepultados por arena y cieno que, sometidos a presión, acaban convirtiéndose en roca.

Petróleo y gas Esta roca sigue acumulándose sobre los cadáveres. La enorme presión que ejerce fosiliza sus restos, transformándolos poco a poco en petróleo y gas.

Ascenso El petróleo y el gas van ascendiendo a través de las rocas porosas, pero quedan atrapados al llegar a las capas de roca densa (p. ej., de esquisto), que no pueden atravesar.

Perforación El petróleo y el gas atrapados bajo la roca sólida se acumulan en yacimientos, donde el gas queda por encima del petróleo. Las plataformas de perforación extraen ambos combustibles.

Gases de efecto invernadero

Los llamados gases de efecto invernadero absorben el calor del sol y contribuyen a calentar el planeta. La mayor parte de estos gases se producen de forma natural; nosotros, por ejemplo, exhalamos pequeñas cantidades de CO_2 al aire. No obstante, la actividad humana ha hecho que la acumulación de algunos gases sea excesiva. Muchos científicos creen que esta acumulación de gases es la causa del calentamiento global.

¿Qué son los gases de efecto invernadero?

El CO_2 constituye más del 99% de los gases de efecto invernadero presentes en la atmósfera. El 0,6% restante corresponde a metano, óxido nitroso, ozono y organohalógenos.

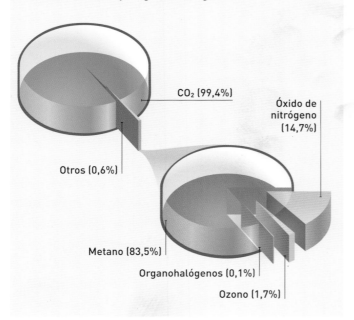

CO₂ (99,4%)

Otros (0,6%)

Óxido de nitrógeno (14,7%)

Metano (83,5%)

Organohalógenos (0,1%)

Ozono (1,7%)

Ciclo del carbono

El carbono sigue un ciclo natural entre la tierra, el mar y la atmósfera, pero la actividad humana genera tal cantidad de carbono en la atmósfera que este ciclo se ha desequilibrado.

Ciclo de plantas-atmósfera

Las plantas almacenan enormes cantidades de carbono durante su vida, y liberan sólo una parte al descomponerse; así, mantienen estable el nivel de CO_2 en la atmósfera.

Ciclo de océano-atmósfera
Las plantas, algas y bacterias marinas almacenan CO_2 y lo sueltan lentamente durante su desarrollo. Parte del CO_2 se disuelve en el agua y es liberado por ella.

Uso de combustibles fósiles
Cuando quemamos carbón, gas o petróleo, el carbono acumulado durante millones de años regresa a la atmósfera. Este excedente altera el ciclo natural.

Efecto invernadero

Este término fue acuñado en 1896 por el científico sueco Svante Arrhenius. Durante miles de millones de años, el efecto invernadero ha mantenido nuestro planeta lo suficientemente cálido como para albergar vida. Sin embargo, con la excesiva producción de gases de efecto invernadero, cada vez más calor queda atrapado en la atmósfera. El proceso se ha acelerado y como resultado la Tierra se está calentando.

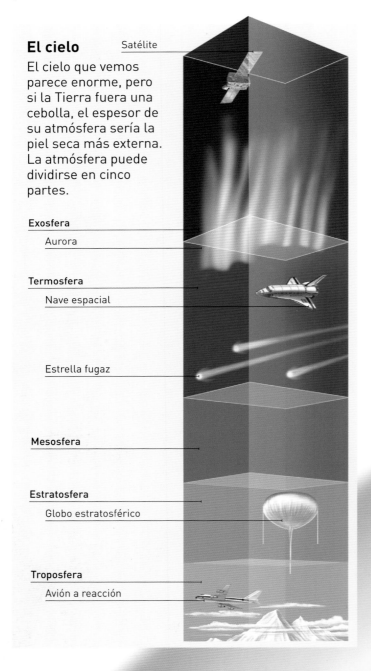

El cielo

El cielo que vemos parece enorme, pero si la Tierra fuera una cebolla, el espesor de su atmósfera sería la piel seca más externa. La atmósfera puede dividirse en cinco partes.

Satélite

Exosfera

Aurora

Termosfera

Nave espacial

Estrella fugaz

Mesosfera

Estratosfera

Globo estratosférico

Troposfera

Avión a reacción

Vivir en un invernadero

Del mismo modo que un invernadero para plantas deja entrar la luz y conserva dentro el aire caliente, los gases de efecto invernadero de la atmósfera dejan pasar la luz del sol, manteniendo el calor que llega con los rayos solares.

Energía solar Sólo cerca de la mitad de la energía solar llega a la superficie terrestre. El resto es reflejada o atrapada por las nubes y por la propia atmósfera.

25%

Es el porcentaje del aumento en los niveles de CO$_2$ atmosférico desde 1850.

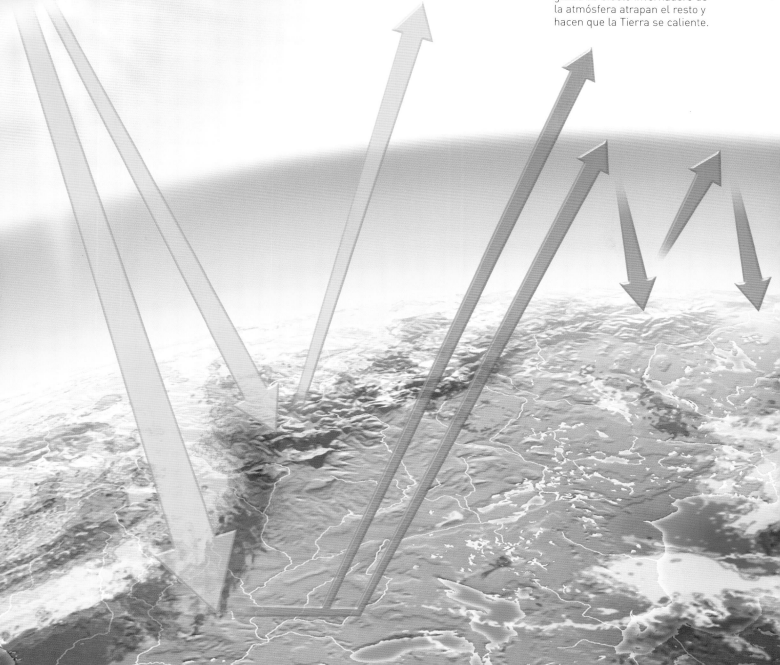

Rayos solares Los rayos del sol proporcionan calor y luz a la Tierra.

Espejo de hielo Las superficies brillantes de la Tierra, como, por ejemplo, el hielo, reflejan un 4% de los rayos del sol y los envían de vuelta al espacio.

Superficie caliente Cuando los rayos del sol calientan la Tierra, la superficie de ésta desprende calor. Parte de él escapa al espacio, pero los gases de efecto invernadero de la atmósfera atrapan el resto y hacen que la Tierra se caliente.

Superpoblación

El aumento de la población mundial es una de las principales causas del calentamiento global. Los humanos nos hemos multiplicado por cuatro en los últimos cien años. Y cuanta más gente hay, más combustibles fósiles se queman. Esto ha provocado el incremento masivo de los niveles de gases de efecto invernadero en la atmósfera.

Rusia Rusia es el país más poblado de Europa, y Moscú, su capital, es la ciudad más grande del continente.

Bangladesh Un atasco de tráfico bloquea las calles de Dhaka. Bangladesh es el séptimo país más poblado de la Tierra.

Estados Unidos Una espesa capa de contaminación cubre la ciudad de Los Ángeles, cuya población es de 4 millones de habitantes.

China Cada año nacen más de 100.000 niños en Beijing (Pekín). La población actual es de alrededor de 1.300 millones de personas, más de cuatro veces la de Estados Unidos.

Brasil Más de 6 millones de personas viven en Río de Janeiro, casi un millón en favelas.

Crecimiento demográfico

Ochenta millones de habitantes se suman cada año a la población mundial, especialmente en las ciudades, sobre todo en Asia. Por ello, no es un crecimiento homogéneo.

Nueva York A pesar de tener una población mucho menor que China o la India, Estados Unidos produce más gases de efecto invernadero que cualquier otro país del planeta. Esto se debe a que los habitantes de los países desarrollados consumen mucha más energía que los de los países menos desarrollados.

Países más poblados

Cada figura equivale a 100 millones de habitantes.

China	1.313.974.000
La India	1.111.714.000
Estados Unidos	302.473.000
Indonesia	213.820.000
Brasil	188.078.000
Pakistán	161.744.000
Bangladesh	147.365.000
Rusia	142.069.000
Nigeria	131.860.000
Japón	127.515.000
México	107.450.000
Filipinas	89.469.000

Mientras lees esta frase, nacen en el mundo alrededor de 17 niños.

Pasado, presente y futuro

En los últimos 200 años, la población mundial se ha disparado: desde unos 1.000 millones hasta más de 6.700 millones. Se prevé que en 2050 alcance la cifra de 9.000 millones. Asia y África serán los continentes que más noten el incremento.

Población mundial

8.000 millones
7.000 millones
6.000 millones
5.000 millones
4.000 millones
3.000 millones
2.000 millones
1.000 millones

Asia

África

Europa

Oceanía

América del Sur y Caribe

América del Norte

| Año | 1600 | 1650 | 1700 | 1750 | 1800 | 1850 | 1900 | 1950 | 2000 | 2050 |

Vida urbana

Cada vez vivimos más personas en este planeta, pero es sobre todo nuestro estilo de vida el que causa la mayoría de los desastres ecológicos. La vida en las ciudades es cómoda y práctica, pero requiere un consumo de energía que se traduce en un elevado coste medioambiental.

Centrales Las centrales eléctricas queman combustibles fósiles para abastecer de energía a las ciudades.

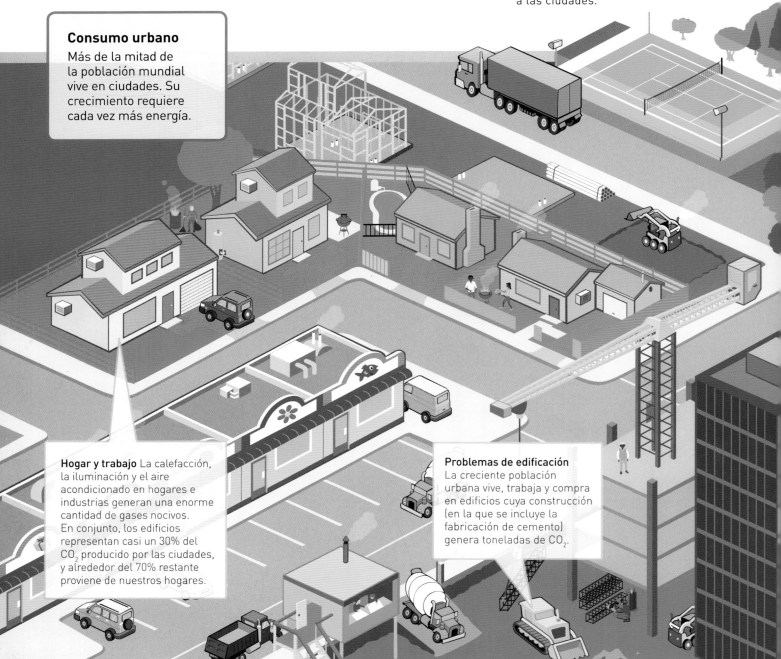

Consumo urbano
Más de la mitad de la población mundial vive en ciudades. Su crecimiento requiere cada vez más energía.

Hogar y trabajo La calefacción, la iluminación y el aire acondicionado en hogares e industrias generan una enorme cantidad de gases nocivos. En conjunto, los edificios representan casi un 30% del CO_2 producido por las ciudades, y alrededor del 70% restante proviene de nuestros hogares.

Problemas de edificación
La creciente población urbana vive, trabaja y compra en edificios cuya construcción (en la que se incluye la fabricación de cemento) genera toneladas de CO_2.

Grandes contaminantes
Los aviones emiten enormes cantidades de CO_2.

Reducción de los bosques
A medida que crecen las ciudades, van comiendo terreno a los bosques.

Reyes de la contaminación

Casi todas las emisiones de CO_2 de origen humano proceden de tres áreas de la vida moderna: el transporte, la vivienda y la industria. En comparación, la agricultura y la ganadería producen sólo un 4% de las emisiones.

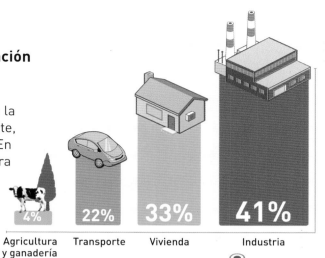

4%	22%	33%	41%
Agricultura y ganadería	Transporte	Vivienda	Industria

Industria Los habitantes de las ciudades consumen cantidades gigantescas de energía, alimentos, agua y productos manufacturados. Las centrales eléctricas y las industrias producen casi la mitad de todos los gases de efecto invernadero.

Transporte Los ciudadanos utilizan coches y autobuses para desplazarse, y las empresas camiones para transportar sus mercancías. Estos vehículos producen el 70% de las emisiones de CO_2 procedentes del transporte. El resto lo generan los trenes y los aviones.

El hielo desaparece Una osa polar y sus oseznos caminan sobre el hielo cerca de Churchill, Canadá. La disminución de la capa de hielo en verano es una grave amenaza para la supervivencia a largo plazo de los osos polares.

¿Cómo nos afecta?

Deshielo

La consecuencia más manifiesta del calentamiento global es el deshielo. Las inmensas capas de hielo del Ártico disminuyen año tras año. Muchos glaciares —ríos helados gigantescos que avanzan despacio desde las montañas— se están fundiendo, provocando un aumento del nivel del mar; éste podría inundar costas y destruir poblaciones en territorios a una baja altitud.

Y desaparecen... Los glaciares del planeta están encogiendo debido al aumento de las temperaturas y al cambio en el ciclo de las nevadas. A la derecha, el Triftgletscher de Suiza, uno de los muchos glaciares de Europa que están desapareciendo.

Los icebergs también encogen De las capas de hielo de los polos se desprenden algunos fragmentos y forman icebergs a la deriva. Se espera que el hielo del océano Ártico, que crece en invierno y disminuye en verano, desaparezca por completo en el periodo estival a partir del año 2030.

2002

2003

Reflector de hielo

Al fundirse el hielo del mar, queda menos superficie que refleje la energía solar. El agua que lo rodea absorbe más calor y su temperatura aumenta; esto acelera aún más el proceso del deshielo.

Reflejo La superficie brillante del hielo devuelve la mayor parte de los rayos solares.

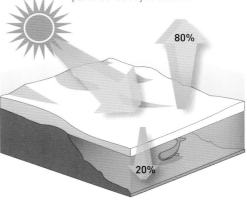

80%

20%

Absorción Al fundirse el hielo, el agua absorbe más cantidad de rayos solares. El agua se calienta más y el hielo se funde más rápido.

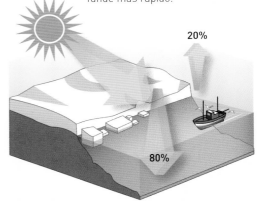

20%

80%

El
90%
de la superficie helada del planeta se encuentra en la región antártica.

Aumento del nivel del mar

El nivel del mar ha subido ya unos 20 cm en estos últimos 100 años. Puede no parecer gran cosa, pero a medida que se calientan los océanos y se funden los glaciares, este aumento acelera su ritmo. Pronto muchas poblaciones se verán amenazadas por el agua.

Venecia El mar Adriático, cuyo nivel asciende poco a poco, podría inundar Venecia, la famosa ciudad flotante.

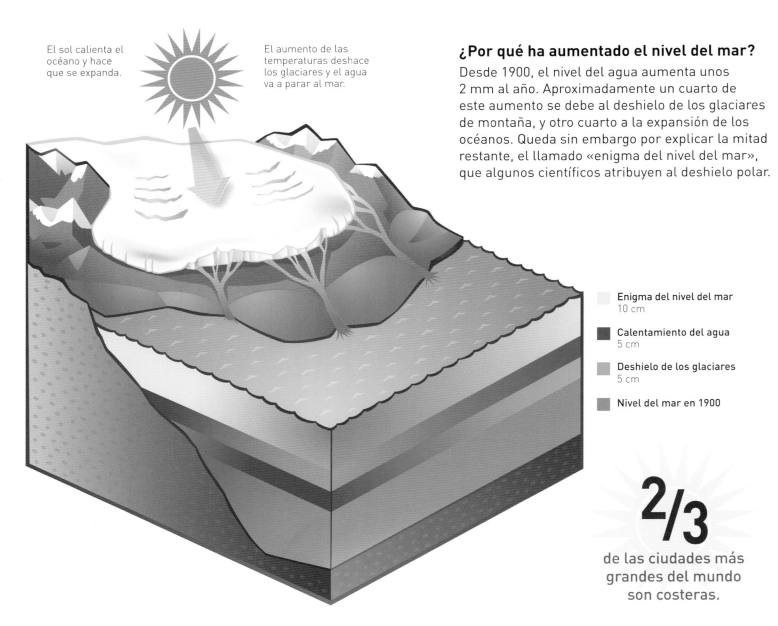

El sol calienta el océano y hace que se expanda.

El aumento de las temperaturas deshace los glaciares y el agua va a parar al mar.

¿Por qué ha aumentado el nivel del mar?

Desde 1900, el nivel del agua aumenta unos 2 mm al año. Aproximadamente un cuarto de este aumento se debe al deshielo de los glaciares de montaña, y otro cuarto a la expansión de los océanos. Queda sin embargo por explicar la mitad restante, el llamado «enigma del nivel del mar», que algunos científicos atribuyen al deshielo polar.

Enigma del nivel del mar
10 cm

Calentamiento del agua
5 cm

Deshielo de los glaciares
5 cm

Nivel del mar en 1900

2/3
de las ciudades más grandes del mundo son costeras.

Problemas graves Las diminutas islas Tuvalu, a la derecha, se encuentran más o menos entre Hawai y Australia. El aumento del nivel del mar ha inundado ya muchas zonas. Probablemente, los habitantes de estas islas tendrán que abandonarlas y mudarse a territorios más elevados.

Shishmaref Los habitantes de la ciudad costera de Shishmaref, en Alaska, han sentido ya los efectos del aumento del nivel del mar causado por el calentamiento global. Las mareas cada vez más altas van arrastrando los cimientos de sus casas, que se derrumban.

¿Cuánto ascenderá el nivel del mar?

Si el ascenso del nivel del mar continúa al ritmo actual, será unos 48 cm más alto en 2100 (línea naranja). Sin embargo, no es algo seguro: el calentamiento y el deshielo adicionales en Groenlandia y la Antártida podrían elevar este nivel incluso hasta 1 m o más (línea verde).

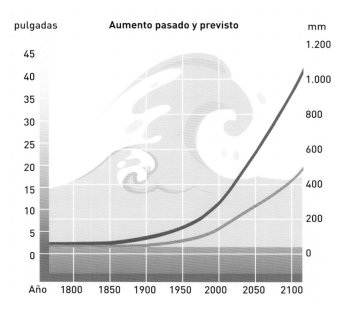

pulgadas   **Aumento pasado y previsto**   mm

| Año | 1800 | 1850 | 1900 | 1950 | 2000 | 2050 | 2100 |

Más humedo, más seco

Los cambios en los patrones meteorológicos pueden causar abundantes lluvias y al mismo tiempo graves sequías. Las variaciones en la pluviosidad ya pueden notarse: en algunas regiones aumenta y en otras disminuye. Algunos científicos predicen que el calentamiento global hará que algunas zonas sean aún más húmedas y otras más secas. Si se eleva la temperatura del mar, problemas climáticos como la sequía, la desertización y las inundaciones serán más comunes y destructivos.

Consecuencias de la desertización

La desertización se produce cuando la arena del desierto se desplaza lentamente y va cubriendo las áreas limítrofes, destruyendo los campos y arruinando a los habitantes. Las sequías vinculadas al cambio climático pueden empeorar esta situación en algunas zonas.

2002

Australia se seca Un alza récord de las temperaturas afectó a Australia en 2002, dando lugar a una de las peores sequías de su historia. El 60% del país sufrió escasez de lluvias durante nueve meses. La sequía del lago Burrendong (arriba) causó graves problemas de abastecimiento de agua en los alrededores.

La aldea se ve amenazada por el avance de la arena.

El viento empuja la arena.

Los campesinos se trasladan a la ciudad.

Las dunas de arena destruyen las cosechas.

2003

Guerras por el agua

El lago Chad, que fue uno de los mayores de África, se ha visto reducido a un 5% de su tamaño original tras 30 años de sequía. Esto ha causado guerras por el agua entre los pueblos que dependen de él.

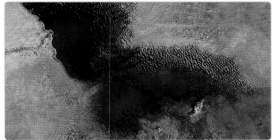

Lago Chad en 1973

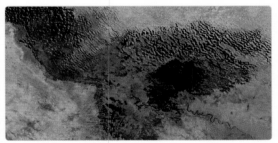

Lago Chad en 2001

Lluvias

Aunque no afecte de manera directa a las precipitaciones, el calentamiento global puede provocar cambios en otros patrones meteorológicos que influyan en la pluviosidad de las diferentes regiones del planeta.

Este mapa muestra la variación en las precipitaciones en todo el planeta desde 1900. Cuanto más grande sea el sol, mayor el descenso en las precipitaciones. Cuanto mayor sea la gota, mayor el aumento en las precipitaciones.

−50%   −40%   −30%   −20%   −10%   0%   +10%   +20%   +30%   +40%   +50%

Fenómenos extremos

Muchos científicos creen que ya se pueden apreciar signos de cambio climático en forma de fenómenos atmosféricos extremos. Siempre ha habido huracanes, incendios forestales y otros desastres climatológicos, pero algunos parecen ser más serios y frecuentes a medida que se calientan la atmósfera y los océanos del planeta.

Huracanes

Los huracanes o ciclones se forman sobre los océanos tropicales, en las aguas superficiales cálidas. Se espera que estas catastróficas tormentas sean más fuertes a medida que aumente la temperatura del mar.

Inundaciones Las lluvias intensas, la subida de los mares y las grandes olas marinas pueden inundar hogares y amenazar la vida de personas y animales.

Incendios incontrolados Con la subida de las temperaturas, los bosques se secan y se incendian. Si no es posible controlar estos incendios, pueden quemar grandes superficies de bosque y destruir viviendas.

Olas de calor El calor prolongado puede ser mortal, en especial para niños y ancianos. Se calcula un aumento en el número y la duración de las olas de calor en los próximos años.

1.836

personas murieron en 2005 por culpa del huracán Katrina.

Contaminación

El uso de combustibles fósiles, principal causa del calentamiento global, lo es también de la contaminación del aire. Los gases emitidos por fábricas y vehículos ejercen un efecto invernadero atrapando el calor en la atmósfera, pero, además de calentar el planeta, pueden causar contaminación atmosférica y lluvia ácida.

Mascarillas antipolución Un guardia de tráfico en Calcuta, la India, lleva una máscara para protegerse de la contaminación del aire, que provoca más de 1,6 millones de muertes al año en todo el mundo.

Polución

La polución se forma cuando los gases emitidos por vehículos y fábricas reaccionan con el oxígeno del aire por acción de las temperaturas elevadas y los rayos ultravioletas del sol. Esto crea una densa nube de dióxido de nitrógeno, ozono y otros gases nocivos que pueden irritar e incluso dañar permanentemente los pulmones.

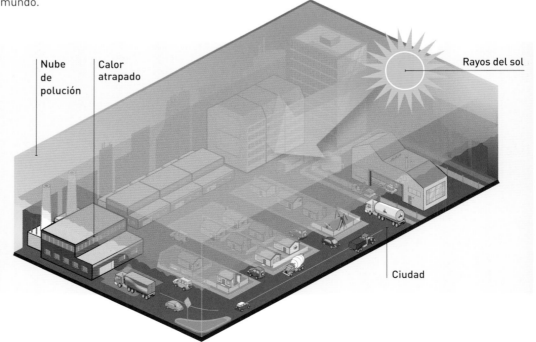

Nube de polución

Calor atrapado

Rayos del sol

Ciudad

Ciudad de México Hace menos de treinta años, Ciudad de México era considerada una de las más limpias del mundo. Hoy es una de las más contaminadas. Una densa nube de polución cubre la ciudad, y los volcanes que salpican el horizonte han dejado de verse.

Los niños son tres veces más propensos al asma si viven en áreas con mucha contaminación.

Isla de calor

Los edificios de hormigón y las aceras absorben calor durante el día, por lo que, al atardecer, las ciudades alcanzan temperaturas más elevadas que el campo de los alrededores. Esto recibe el nombre de «isla de calor». Este aumento del calor eleva también el nivel de polución.

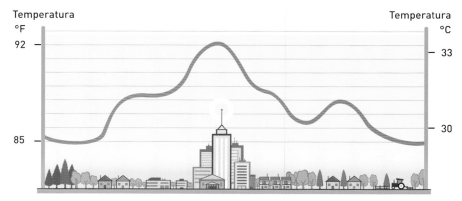

Enfermedades

Se espera que el aumento de la temperatura dispare la incidencia de enfermedades infecciosas. Las inundaciones podrían ayudar a transmitir enfermedades como el tifus y el cólera, que se propagan por el agua. El paludismo y la encefalitis también se extenderían a otras zonas, pues cada vez habrá más territorios cálidos, donde viven los insectos que transmiten estas enfermedades.

Fiebre en aumento

A medida que suben las temperaturas, engorda la cifra de personas que contraen enfermedades infecciosas. Por ejemplo, si la temperatura de San Diego, California, creciera 2 ºC, el número de casos de dengue prácticamente se duplicaría. Una subida de 3 ºC haría que se triplicara.

Casos de dengue
en San Diego, California

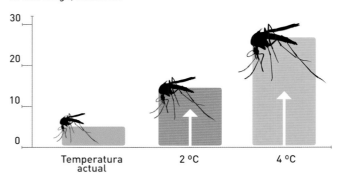

30		
20		
10		
0		
Temperatura actual	2 ºC	4 ºC

Diseminación de la enfermedad

El paludismo (la malaria) está presente en más de 100 países. Si suben las temperaturas, los mosquitos que transmiten esta enfermedad podrían trasladarse a regiones que hoy son demasiado frías para ellos, como Escandinavia o Reino Unido.

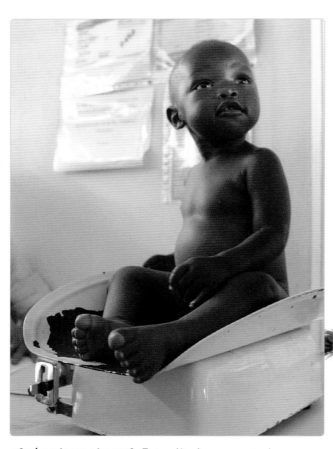

¿Qué podemos hacer? Este niño forma parte de un estudio sobre la vacuna contra el paludismo en Manhica, Mozambique. El paludismo provoca la muerte de más de 900.000 africanos al año, la mayoría niños.

Garrapatas Las garrapatas transmiten la encefalitis, una enfermedad letal del cerebro. En el norte de Europa el número de casos va en aumento; los científicos lo asocian a unos inviernos inusualmente cálidos.

Portadores de enfermedad Algunos tipos de mosquito transportan gérmenes en la saliva, que transmiten a los humanos a través de las picaduras. Los gérmenes viajan a través de la sangre de la persona afectada hasta el hígado, causando paludismo, que, sin tratamiento, puede ser mortal.

El enemigo dentro El paludismo es producido por un parásito diminuto, *Plasmodium*, que vive dentro de las células del hígado y de la sangre.

Un mundo que desaparece

A lo largo de la historia, muchas especies biológicas se han extinguido de forma natural. Pero ahora están desapareciendo a un ritmo de 100 a 1.000 veces superior al que la Naturaleza ha venido mostrando. La culpa de esto la tienen sin duda los humanos. Aunque las causas principales son la caza y la destrucción de los hábitats, las alteraciones en la climatología empeoran aún más esta situación.

Más de 16.000 especies de plantas y animales se encuentran hoy en peligro de extinción.

Tortuga de carey

Las tortugas de carey viven en el Caribe, donde seis de cada siete especies de tortugas están amenazadas. El calentamiento global afecta a estos animales por las siguientes razones:

- Las plantas marinas y los corales, de los que se alimentan las tortugas, están empezando a escasear en los océanos más cálidos.

- Las playas de islas remotas, donde las tortugas hacen sus nidos, están desapareciendo con la crecida del nivel del mar.

- Las tortugas tienen dificultades para encontrar playas donde anidar por causa de los cambios en las corrientes oceánicas.

- Cuando aumentan las temperaturas, los huevos no eclosionan o desarrollan solamente hembras.

Mariposa Apolo Esta mariposa, que vive en la montaña, necesita la luz del sol para conservar el calor y sobrevivir. Pero el cambio climático ha hecho que los árboles crezcan más, impidiendo que pasen los rayos del sol.

Trucha Peces que antes habitaban aguas frías empiezan a escasear en muchas zonas con el calentamiento de los ríos y lagos, especialmente las truchas y los salmones.

Reducción del hielo Los osos polares cazan en el hielo; al fundirse éste, tienen menos oportunidades de alimentarse, por lo que se reduce su esperanza de vida.

Juego de números

La Unión Internacional para la Conservación de la Naturaleza recoge información cada pocos años para calcular el número de especies amenazadas. Estudios recientes muestran que esta cifra no deja de crecer año tras año. Actualmente, se encuentran en peligro aproximadamente uno de cada tres anfibios y uno de cada cuatro mamíferos.

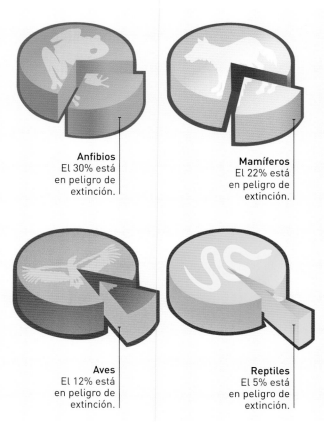

Anfibios
El 30% está en peligro de extinción.

Mamíferos
El 22% está en peligro de extinción.

Aves
El 12% está en peligro de extinción.

Reptiles
El 5% está en peligro de extinción.

Sapo dorado Este raro anfibio se extinguió en 1987. Murió por una enfermedad que se difundió con rapidez en su hábitat forestal debido a las altas temperaturas.

Zarapito El zarapito, como otras muchas aves costeras, está cada vez más amenazado por la alteración de su hábitat, de sus recursos alimenticios y de los ciclos migratorios.

Pika Este pequeño animal se encuentra al borde de la extinción por el calentamiento de su hábitat; sería el primer mamífero en desaparecer debido al cambio climático.

Energía verde La energía solar es la fuente de energía más abundante de la Tierra. Uno de los desafíos tecnológicos más urgentes es cómo aprovechar la energía solar de forma que su uso sea económico y eficaz.

¿Qué medidas se han tomado?

Trabajo en equipo

Para un problema tan serio como el cambio climático, necesitamos soluciones de alcance global. Eso implica que hemos de trabajar todos juntos: los científicos recogiendo y compartiendo información, y los gobiernos adoptando medidas para aportar soluciones. Tentativas como el protocolo de Kioto, que tienen carácter internacional, son un buen principio, pero aún queda mucho por hacer.

El viaje hasta Kioto

El protocolo de Kioto juntó a más de 170 países con el objetivo común de combatir el cambio climático. Sin embargo, no surgió de un día para otro: la elaboración del plan llevó casi 18 años.

1987	Los países miembros de Naciones Unidas colaboran para prohibir los clorofluorocarbonos.
1988	La ONU crea el IPCC *(Internacional Panel for Climatic Change)* para que recoja y presente información de los científicos que estudian el cambio climático.
1992	Primer informe del IPCC.
1992	Se instituye la Convención Marco de Naciones Unidas sobre el Cambio Climático, integrada por 166 países que deben evaluar sus emisiones de gases y acordar medidas al respecto.
1997	La ONU se reúne en Kioto, Japón, para introducir cambios importantes en las emisiones de gases de efecto invernadero: el protocolo de Kioto.
2005	El protocolo es firmado por 141 países.

Hasta ahora

En 1992 más de 160 países acordaron que para el año 2000 recortarían sus emisiones de gases de efecto invernadero hasta los niveles de 1990. Este gráfico muestra los cambios en las emisiones de 1990 a 2003. Las barras naranjas representan un aumento en las emisiones; las verdes, un descenso.

España 41,7%
Mónaco 37,8%
Portugal 36,7%
Grecia 25,8%
Irlanda 25,6%
Nueva Zelanda 25,5%
Canadá 24,2%
Australia 23,3%
Finlandia 21,5%
Austria 16,5%
Estados Unidos 13,3%
Japón 12,8%
Italia 11,5%
Noruega 9,3%
Dinamarca 6,8%
Liechtenstein 5,3%
Países Bajos 1,5%
Bélgica 1,3%

Suiza 0,4%
Comunidad Europea 1%
Eslovenia 1,8%
Francia 1,9%
Suecia 2,3%
Croacia 6%
Islandia 8,2%
Reino Unido 13%
Luxemburgo 16,1%
Alemania 18,2%
República Checa 28,3%
Eslovaquia 28,3%
Hungría 31,9%
Polonia 34,4%
Federación Rusa 38%
Bielorrusia 50,5%
Estonia 50,8%
Letonia 58,8%
Lituania 66,2%

Enorme diferencia Mientras que Lituania y Letonia han reducido sus emisiones en torno a un 60%, países como España y Portugal incrementaron dichas emisiones alrededor de un 40% durante el mismo periodo.

Rusia firma Los activistas se manifiestan ante el Parlamento en abril de 2004, mientras en el interior los políticos discuten si firmar o no el protocolo de Kioto. El Gobierno acordó hacerlo el 18 de noviembre de 2004.

Acuerdo municipal El ayuntamiento de Barcelona ha puesto a disposición de los ciudadanos 3.000 bicicletas; pueden utilizarse de forma gratuita y son una alternativa verde al coche, que libera gases de efecto invernadero.

Leyes A pesar del éxito del protocolo de Kioto, queda trabajo por hacer. Australia, Turquía y Estados Unidos no lo han suscrito todavía. Se siguen celebrando congresos, como éste en Alemania, para buscar el mejor modo de ralentizar el calentamiento global.

Menos clorofluorocarbono

El protocolo de Kioto supuso un paso más en la lucha contra el calentamiento. Con el anterior protocolo (Montreal, 1987), 189 países prohibieron el uso de los clorofluorocarbonos. Aunque el agujero de la capa de ozono sobre la Antártida sigue creciendo, hoy lo hace a un ritmo mucho menor.

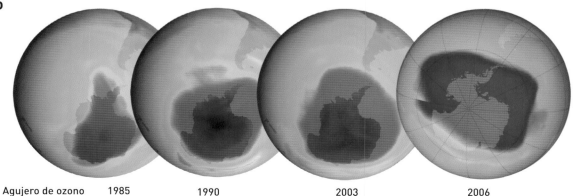

Agujero de ozono   1985   1990   2003   2006

Energía verde

Si queremos detener el cambio climático y no sólo ralentizarlo, debemos, además de reducir la cantidad de combustibles fósiles que quemamos, optar por energías alternativas, preferentemente aquellas que produzcan menos emisiones de efecto invernadero y sean renovables. Las energías renovables son inagotables, ya que aprovechan la luz del sol y los ciclos naturales del planeta.

La energía del mar La energía mareomotriz funciona como la eólica, pero bajo el agua. El movimiento de las corrientes marinas hace girar los rotores y genera electricidad.

Renovables

Las fuentes de energía renovables son la eólica, la solar, la hidroeléctrica y la de biomasa. Un 15% de la electricidad mundial proviene de la energía hidroeléctrica, generada cuando una corriente de agua embalsada hace girar unas turbinas, que producen electricidad. Las otras fuentes renovables son menos utilizadas, pero se están extendiendo de forma considerable.

La fuerza del viento

Los aerogeneradores funcionan de un modo muy similar a los molinos de viento. El viento hace girar los rotores, pero en vez de mover la muela del molino, éstos activan un generador que proporciona electricidad. Las de mayor tamaño pueden generar suficiente energía para un pueblo pequeño.

En el Reino Unido hay una central especial que funciona con excrementos de aves.

Energía térmica Esta central de energía solar en Estados Unidos es una de tantas en el mundo que producen electricidad sin liberar ningún gas de efecto invernadero. Los espejos concentran la energía solar en un punto focal en lo alto de la torre, produciendo un calor que se emplea para accionar una serie de turbinas.

Célula fotoeléctrica

Las células fotoeléctricas emplean cristales de silicio para convertir la luz solar en electricidad. La luz incide en el cristal y libera cargas que son canalizadas hacia unos cables.

Central nuclear Algunos científicos recomiendan usar energía nuclear en lugar de combustibles fósiles hasta que las fuentes de energía renovables estén más desarrolladas. No obstante, aunque la energía nuclear emite menos gases que los combustibles fósiles, genera residuos radiactivos.

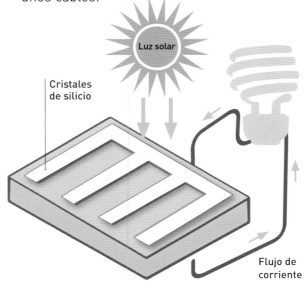

Luz solar

Cristales de silicio

Flujo de corriente

Transporte verde

Los gases que emiten los vehículos representan una cuarta parte de todo el dióxido de carbono que generamos. Ahora que hay cada vez más coches y los viajes en avión son más baratos, las emisiones de carbono van en aumento. Los ingenieros están diseñando coches, autobuses y aviones más eficientes, e intentan buscar nuevos tipos de combustible.

El coche del futuro

Los coches híbridos liberan menos gases que los normales porque parte del tiempo se mueven, total o parcialmente, gracias a la electricidad que el propio coche genera.

Biocombustible Aunque la mayoría de los coches híbridos eléctricos funcionan con gasolina normal sin plomo, en algunos países usan alternativas menos dañinas. Los biocombustibles, como el etanol y el biodiésel, se componen de alcoholes o aceites vegetales y no de combustibles fósiles. La cantidad de carbono que emiten es mucho menor.

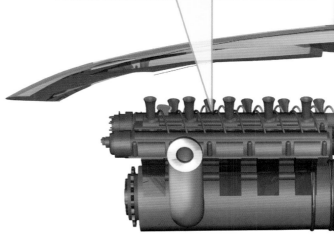

Autobús verde Este autobús funciona con hidrógeno en lugar de con gasolina o gasóleo. Al contrario que un autobús normal, no libera gas de efecto invernadero ninguno. Islandia fue el primer país en poner a prueba estos autobuses urbanos impulsados por una fuente de hidrógeno.

Combustible maravilloso Los autobuses de hidrógeno se llenan en estaciones de servicio especiales. El hidrógeno se convierte directamente en electricidad, y el único gas de escape es vapor de agua puro.

Se espera que el número de coches se duplique en los próximos 30 años.

Medios de transporte

Cada medio de transporte genera diferentes cantidades de CO_2 por persona y kilómetro recorrido. Los coches son el medio más popular, pero también el menos eficiente; los autobuses y los aviones gastan más combustible, pero pueden transportar a mucha gente a la vez, por lo que emiten menos carbono por pasajero. Caminar o ir en bicicleta conlleva una emisión de CO_2 casi nula.

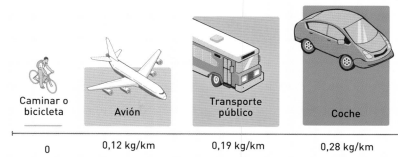

Caminar o bicicleta	Avión	Transporte público	Coche
0	0,12 kg/km	0,19 kg/km	0,28 kg/km

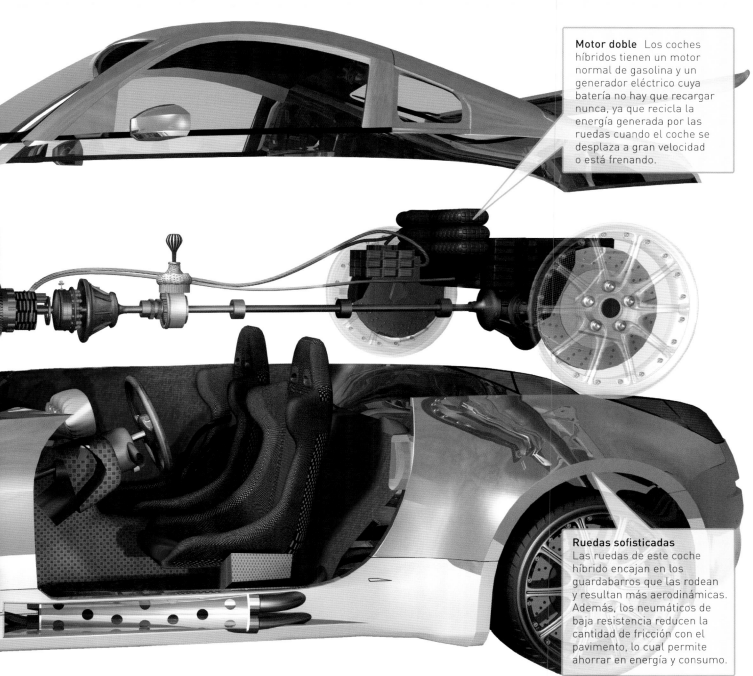

Motor doble   Los coches híbridos tienen un motor normal de gasolina y un generador eléctrico cuya batería no hay que recargar nunca, ya que recicla la energía generada por las ruedas cuando el coche se desplaza a gran velocidad o está frenando.

Ruedas sofisticadas
Las ruedas de este coche híbrido encajan en los guardabarros que las rodean y resultan más aerodinámicas. Además, los neumáticos de baja resistencia reducen la cantidad de fricción con el pavimento, lo cual permite ahorrar en energía y consumo.

Ecoviviendas

Casi un tercio de la emisión de gases de efecto invernadero proviene de nuestras viviendas. Pero existen muchas maneras de reducir la cantidad de gases que generamos, desde la forma en que se construyen las casas hasta nuestro estilo de vida dentro de ellas.

Ecología en casa

Esta casa ecológica tiene muchos detalles que permiten ahorrar energía. Si todas las casas imitaran al menos uno o dos de ellos, podríamos reducir la magnitud del efecto invernadero en la atmósfera.

Tejado verde Esta casa de Fráncfort, Alemania, tiene un tejado en pendiente con un manto sobre el que se planta césped. El tejado verde contribuye a mantener la vivienda caliente en invierno y fresca en verano utilizando menos energía.

Cubos de reciclado
Separar la basura para poder reciclarla garantiza el aprovechamiento de los residuos domésticos, que, de esta manera, no acaban en un vertedero.

Abono orgánico Los restos de alimentos y la hierba cortada se compostan para reducir el desperdicio y obtener fertilizante para el jardín.

Invernadero La luz del sol que entra en el invernadero calienta el agua para el sistema de calefacción bajo el suelo. El aire caliente del invernadero también puede canalizarse hacia la casa.

Cuarto de estar Las paredes, ventanas y techos del cuarto de estar están aislados. La luz proviene de tragaluces reflectores o tubos solares, que recogen la luz del sol en el tejado y la dirigen a la habitación inferior.

Energía Los paneles solares y el aerogenerador del tejado proporcionan energía a la casa. El excedente va a parar al tendido eléctrico local, lo que significa que otros utlizarán también electricidad ecológica.

Dormitorio El dormitorio se mantiene caliente gracias al aislamiento de paredes y techos. Se refresca mediante un ventilador de techo, que gasta menos energía que el aire acondicionado. Los tragaluces y las bombillas de bajo consumo son alternativas que evitan las emisiones.

Baño Un inodoro de descarga reducida y una alcachofa de ducha de bajo flujo contribuyen a ahorrar agua. El agua del lavabo, la ducha y la bañera, junto con la de lluvia, se descarga en un sistema de aguas grises. Esta agua no contaminada puede usarse para el inodoro y para regar.

Suelo Los suelos son de material reciclable, como el bambú, y se calientan mediante tuberías que hay bajo el suelo. Estas conducciones bombean agua caliente procedente de un sistema de calefacción solar situado en el invernadero.

Cocina La lavadora, la nevera, el lavavajillas y el horno son termodinámicamente eficientes. La secadora también lo es, pero se puede usar un tendedero exterior los días soleados. Los armarios, el suelo y las superficies de trabajo son de materiales reciclados o renovables.

50%
Electricidad que aporta un aerogenerador en la vivienda.

Preservación de bosques y océanos

Los bosques y los océanos absorben y acumulan el carbono como parte de un proceso biológico. Así, pueden reducir la cantidad de dióxido de carbono atmosférico y disminuir la intensidad del efecto invernadero. Hemos dañado los bosques, contaminado los océanos y quemado combustibles fósiles, y como consecuencia hemos alterado el equilibrio natural del planeta. Ahora debemos proteger nuestros preciosos árboles y océanos.

Estado de los bosques

Los bosques no tienen una distribución homogénea en el planeta. La mayoría se encuentran en el hemisferio Norte —Rusia y América del Norte—, donde son explotados por la industria maderera. Asimismo, las selvas tropicales se están quemando para crear campos de cultivo.

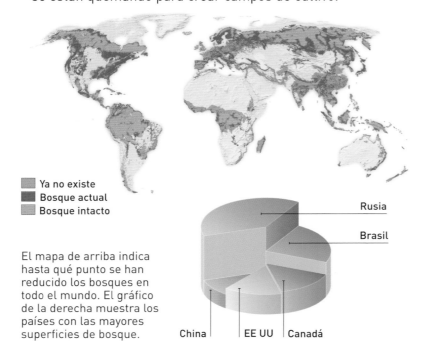

- Ya no existe
- Bosque actual
- Bosque intacto

El mapa de arriba indica hasta qué punto se han reducido los bosques en todo el mundo. El gráfico de la derecha muestra los países con las mayores superficies de bosque.

Rusia

Brasil

China | EE UU | Canadá

Reforestación Proyectos como la Campaña de los Mil Millones de Árboles del Programa de Naciones Unidas para el Medio Ambiente son iniciativas globales que tienen como objetivo recuperar los bosques perdidos plantando nuevos árboles.

En los últimos 40 años han desaparecido más de la mitad de los bosques originarios.

Brasil La selva tropical brasileña está siendo destruida por la explotación agropecuaria. Desde 2000 se ha arrasado una superficie superior a la de Grecia.

Estudio de la vida marina Los científicos están estudiando también los efectos del calentamiento en el mar. Algunos países han creado reservas marinas para proteger a las especies amenazadas.

Fitoplancton Este conjunto de organismos acuáticos elimina más dióxido de carbono de la atmósfera que todos los árboles y plantas juntos. Al ir aumentando el nivel de carbono en los mares, el agua puede volverse demasiado ácida para que el fitoplancton sobreviva.

Equilibrio

Los bosques y océanos ayudan a controlar los niveles de dióxido de carbono almacenando el carbono. En conjunto, constituyen el contrapunto a las fuentes humanas y naturales de emisión nociva.

Bosques Los bosques y océanos eliminan grandes cantidades de dióxido de carbono atmosférico durante su crecimiento. También liberan una cierta cantidad durante su ciclo vital y al descomponerse, pero menos de la que eliminan.

Océanos Parte del carbono presente en la atmósfera se disuelve en los océanos. Las plantas marinas, como el fitoplancton y las algas, absorben una parte, y el resto lo reciclan y lo envían de vuelta a la atmósfera.

Cambios en el uso del suelo
Cuando alteramos la función del suelo (talando bosques para generar tierras de cultivo, por ejemplo), liberamos más carbono a la atmósfera del que las cosechas plantadas son capaces de absorber.

Humanos Las fábricas, los vehículos y las centrales eléctricas queman combustibles fósiles y liberan en un instante toneladas de carbono, que se acumula en la atmósfera. Ningún proceso natural puede equilibrar este inmenso daño producido por el hombre.

Tú puedes contribuir a que las cosas cambien Cuidar del planeta es responsabilidad de todos. Un pequeño esfuerzo marca una gran diferencia.

¿ Qué podemos hacer?

Calcula tu emisión de carbono

La «huella de carbono» es la cantidad de dióxido de carbono que libera a la atmósfera la actividad de una persona. Si analizamos el tamaño de nuestra huella y tomamos medidas para reducirla, estaremos luchando contra el calentamiento global en nuestra propia casa. Si intervenimos en programas que reducen o eliminan el uso de carbón, podremos incluso reducir nuestra huella a cero.

Hoy en día, cada uno utilizamos de media más de cuatro veces la energía que utilizaba una persona hace 100 años.

Compensadores del carbono

Reducir nuestra huella de carbono puede ser difícil, especialmente si en el lugar en el que vivimos no se utilizan energías renovables, o si necesitamos usar un transporte para trabajar o ir al colegio. Para reparar este daño, podemos participar en programas de compensación, cuyo objetivo es eliminar carbono de la atmósfera.

Biocombustibles Son alternativas a los combustibles fósiles de fuentes vegetales y animales, como el maíz o los excrementos de cerdo.

Bombillas Existen programas de distribución de bombillas de bajo consumo que reemplazan a las bombillas tradicionales, menos eficientes.

Árboles Los programas de reforestación consisten en la plantación de nuevos árboles para reemplazar a aquellos perdidos por talas e incendios.

Energía Los programas de energía renovable respaldan el uso de fuentes de energía no perjudiciales para el medioambiente, como los parques eólicos.

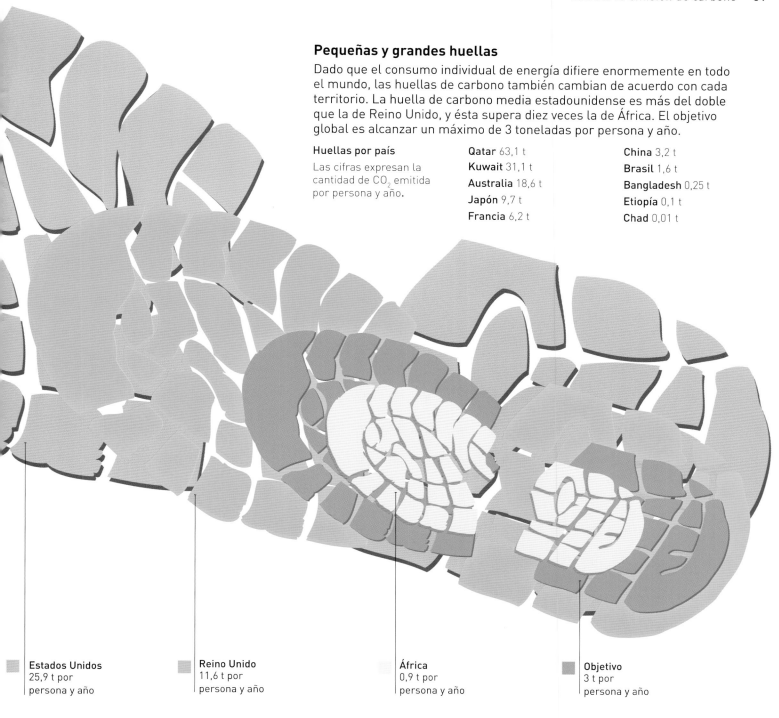

Pequeñas y grandes huellas

Dado que el consumo individual de energía difiere enormemente en todo el mundo, las huellas de carbono también cambian de acuerdo con cada territorio. La huella de carbono media estadounidense es más del doble que la de Reino Unido, y ésta supera diez veces la de África. El objetivo global es alcanzar un máximo de 3 toneladas por persona y año.

Huellas por país

Las cifras expresan la cantidad de CO_2 emitida por persona y año.

Qatar 63,1 t	**China** 3,2 t	
Kuwait 31,1 t	**Brasil** 1,6 t	
Australia 18,6 t	**Bangladesh** 0,25 t	
Japón 9,7 t	**Etiopía** 0,1 t	
Francia 6,2 t	**Chad** 0,01 t	

Estados Unidos
25,9 t por
persona y año

Reino Unido
11,6 t por
persona y año

África
0,9 t por
persona y año

Objetivo
3 t por
persona y año

¿Qué podemos hacer?

Mide tu huella

Calcular la propia huella de carbono puede ser difícil, pero existen en Internet muchas posibilidades gratuitas para hacerlo. Visita una de las páginas web que te proponemos y pide ayuda a tu familia para obtener la información necesaria.

- www.mycarbonfootprint.eu/es/
- www.myfootprint.org

6
toneladas

Es la media global actual
de carbono emitido por
persona y año.

Ahorra energía

Una forma sencilla de reducir nuestra emisión de carbono es no malgastar la energía. Muchos de nosotros la desperdiciamos al calentar, enfriar e iluminar nuestros hogares, y también con los electrodomésticos. Utilizar bombillas de bajo consumo y apagar los aparatos son pequeños gestos que ayudan a reducir nuestra emisión de carbono.

Un televisor en standby *utiliza más de la mitad de la energía que consume cuando está encendido.*

135

Son los kilos de CO_2 que ahorra una bombilla de bajo consumo al año.

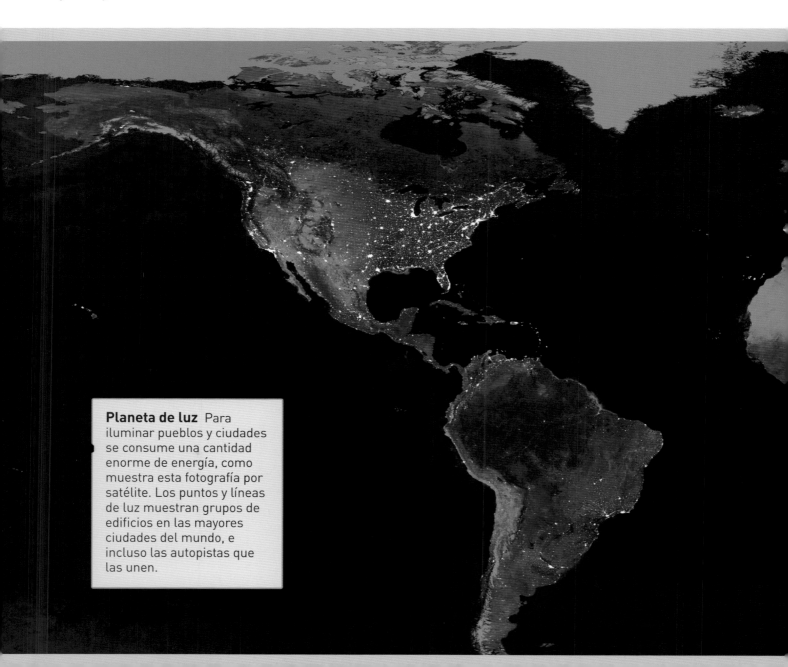

Planeta de luz Para iluminar pueblos y ciudades se consume una cantidad enorme de energía, como muestra esta fotografía por satélite. Los puntos y líneas de luz muestran grupos de edificios en las mayores ciudades del mundo, e incluso las autopistas que las unen.

¿Qué podemos hacer?

1. **Reemplazar todas las bombillas convencionales** de la casa por bombillas de bajo consumo.

2. **Apagar completamente** los aparatos electrónicos, en lugar de dejarlos en *standby*.

3. **Desenchufar siempre los cargadores** de los móviles y mp3 después de usarlos.

4. **Bajar la calefacción** en invierno y abrigarnos para conservar el calor.

5. **Bajar el aire acondicionado** en verano, o apagarlo y utilizar un ventilador.

Bombillas de bajo consumo

Las bombillas compactas fluorescentes dan la misma cantidad de luz que las convencionales pero consumen alrededor de un 75% menos de energía, y duran diez veces más. Si todos los hogares de Estados Unidos reemplazaran sólo una bombilla, el ahorro en CO_2 sería equivalente a retirar 1,3 millones de coches de las carreteras.

Bombilla convencional

Bombilla compacta fluorescente

Un mundo de agua

La cantidad de agua dulce disponible varía en cada región. Además, cada país consume una cantidad determinada de agua para beber, lavar y regar las cosechas. Con el cambio de los patrones meteorológicos y climáticos, puede que sea difícil conseguir agua en muchos lugares.

Los colores del mapa muestran la cantidad de agua dulce disponible en diferentes países.

- Extremadamente baja
- Muy baja
- Baja
- Media
- Alta
- Muy alta
- Sin datos

Los vasos representan la cantidad de agua consumida por persona y año en diferentes países.

Reino Unido
197 m^3

Estados Unidos
1.600 m^3

México
731 m^3

Brasil
318 m^3

1%
Proporción de agua dulce del planeta.

Ahorra agua

Ahorrando agua se economiza también la energía necesaria para recogerla, tratarla y bombearla. Así, reducir el consumo de agua contribuye a disminuir la cantidad de carbono liberado y a combatir el calentamiento global. No todos los países hacen el mismo uso del agua, pero podemos hacer nuestro pequeño sacrificio para no desperdiciarla.

¿Qué podemos hacer?

1. **Cerrar el grifo** mientras nos lavamos los dientes.
2. **Tomar duchas rápidas** en lugar de largos baños.
3. **No utilizar demasiado el lavavajillas**: fregar a mano
4. **Tirar de la cadena sólo** cuando sea necesario.
5. **Recoger el agua de lluvia** para regar las plantas.

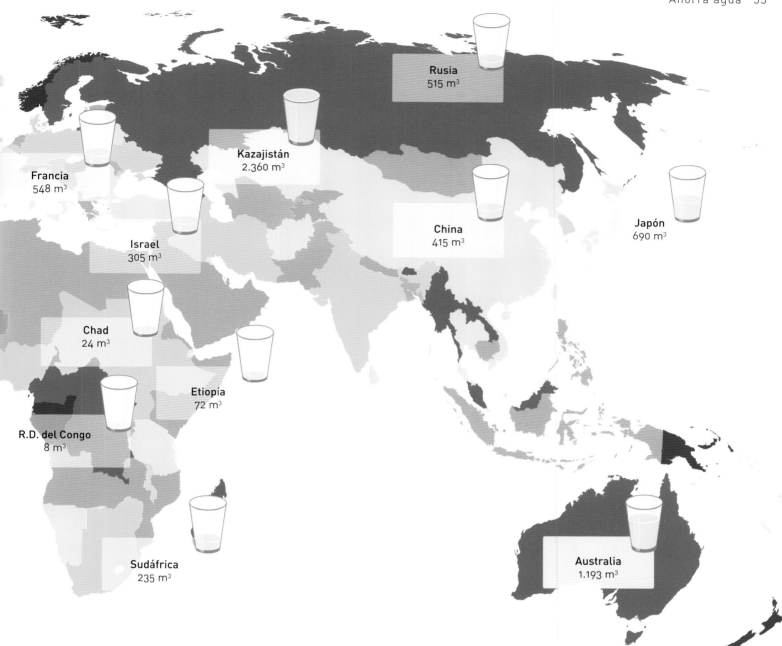

Rusia
515 m³

Kazajistán
2.360 m³

Francia
548 m³

China
415 m³

Japón
690 m³

Israel
305 m³

Chad
24 m³

Etiopía
72 m³

R.D. del Congo
8 m³

Sudáfrica
235 m³

Australia
1.193 m³

Hábitos de consumo

Durante los últimos cien años, la creciente población del mundo ha ido usando más y más agua. Ahora se desperdicia una mayor cantidad debido a la evaporación en las tuberías, los ríos y los pantanos que abastecen los hogares y las empresas.

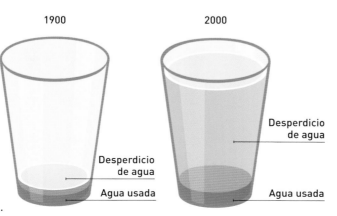

1900

2000

Desperdicio de agua

Agua usada

Desperdicio de agua

Agua usada

Desperdicio en los hogares

Los electrodomésticos y los inodoros consumen cientos de litros de agua al mes.

Lavadora
83 l por lavado

Inodoro
8 l por descarga

Lavavajillas
42 l por lavado

Bañera
68 l por baño

Residuos

La mayor parte de los desperdicios que se generan en los hogares van a los vertederos. Estos gigantescos basureros liberan metano, un gas de efecto invernadero, al descomponerse. Una forma sencilla de reducir la cantidad de metano es disminuir la cantidad de basura que producimos y reciclar todo lo posible.

Reciclar plástico Trabajadores chinos separan diferentes tipos de plástico antes de que sean trasladados para su reciclaje. China importa ingentes cantidades de plástico y papel, que otros países han desechado, y los convierte en nuevos productos.

¿Qué hay en la basura?

Este gráfico muestra la proporción de cada residuo de un vertedero típico de un país desarrollado. El compostaje y el reciclado pueden reducir hasta un 90% estos productos de desecho, lo que ahorra energía y combate el efecto invernadero.

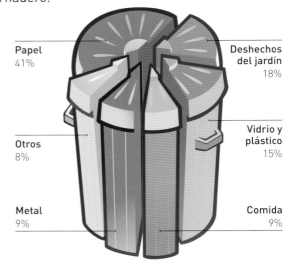

Papel 41%

Deshechos del jardín 18%

Vidrio y plástico 15%

Otros 8%

Metal 9%

Comida 9%

Energía desde la basura

Unas máquinas especiales, llamadas biorreactores, pueden utilizar la basura para generar electricidad. En algunos lugares se combinan con acierto vertederos y centrales eléctricas. El metano de la basura enterrada se recoge y se quema en un generador. Esto reduce la cantidad de metano liberada y genera electricidad.

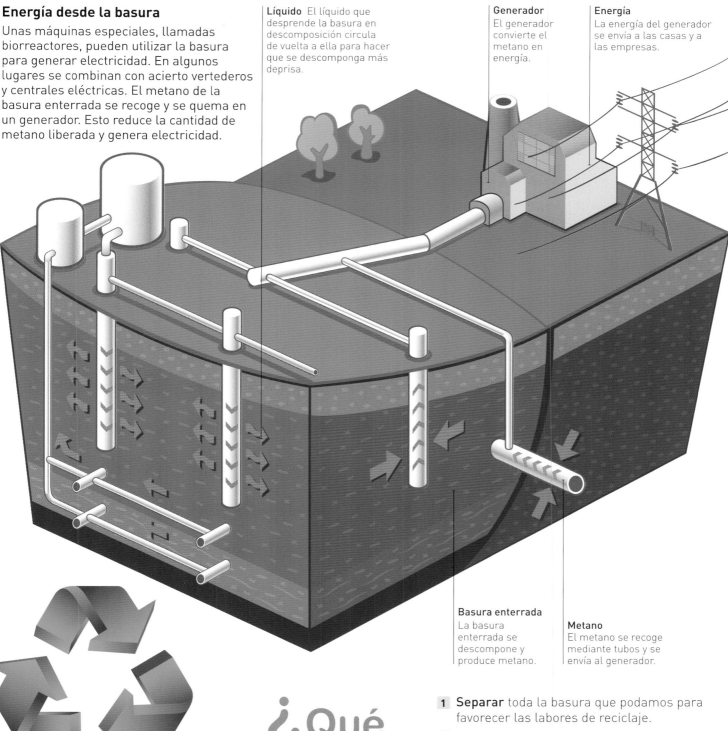

Líquido El líquido que desprende la basura en descomposición circula de vuelta a ella para hacer que se descomponga más deprisa.

Generador
El generador convierte el metano en energía.

Energía
La energía del generador se envía a las casas y a las empresas.

Basura enterrada
La basura enterrada se descompone y produce metano.

Metano
El metano se recoge mediante tubos y se envía al generador.

Símbolo de reciclado Este símbolo fue diseñado en 1970 por un estudiante universitario estadounidense para etiquetar los recipientes reciclables. Hoy es reconocido y utilizado en todo el mundo para cualquier tipo de reciclado.

¿Qué podemos hacer?

1 **Separar** toda la basura que podamos para favorecer las labores de reciclaje.

2 **Compostar los restos de comida** para usarlos como abono.

3 **Depositar las botellas de vidrio** en el contenedor correspondiente.

4 **Guardar y releer** las revistas viejas, o dárselas a alguien.

5 **Donar** juguetes, ropa y objetos usados a las tiendas de segunda mano.

Día verde

Todos podemos luchar contra el cambio climático gastando menos agua y electricidad. Pero aún podemos hacer algo más. La ropa que vestimos, los alimentos que comemos y los productos que usamos aumentan nuestra huella de carbono individual. Gestos sencillos y cotidianos pueden marcar una gran diferencia en la cantidad de gases nocivos que nuestro estilo de vida aporta a la atmósfera.

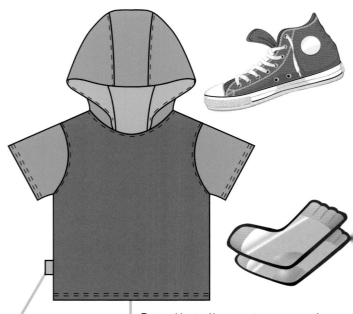

Ropa Hasta llegar a tus manos, la ropa puede representar, como los alimentos, toneladas de emisiones de carbono, especialmente si está fabricada en el otro extremo del mundo. Comprar ropa de fabricación local puede recudir a la mitad estas emisiones.

Etiqueta Echa un vistazo a las etiquetas de tu ropa para ver dónde se han fabricado.

Lavado Espera a que la lavadora esté llena antes de ponerla y ahorrarás agua.

¿Qué se puede hacer por la mañana?

Ducha Los grifos de ducha de bajo flujo utilizan menos agua y ahorran parte de la energía empleada para calentarla. Este tipo de grifos pueden ahorrar alrededor de 158 kg de dióxido de carbono al año. Estar en la ducha algún minuto menos también ayuda.

Desayuno Los cereales, la fruta y la carne recorren de media 1.900 km desde su lugar de producción hasta nuestra mesa. Si compramos la comida en los mercados locales, reduciremos la cantidad de gases que se liberan en su transporte.

Al despertar El pequeño ahorro diario de energía deja de ser pequeño si se repite todos los días de la vida. Los despertadores digitales consumen electricidad durante todo el día, mientras que los relojes de cuerda no gastan ninguna, por lo que no generan gases de efecto invernadero.

En el colegio Los ordenadores consumen hasta un 70% menos de energía si los dejas en reposo en lugar de usar un salvapantallas entre clase y clase, y un 100% menos si los apagas al acabar el día.

Durante el recreo La última persona en salir del aula puede ahorrar el equivalente a varios días de electricidad simplemente apagando las luces antes de marcharse.

Ir al cole Durante las horas punta, la mitad de los coches en circulación son de padres que llevan a sus hijos al colegio. Si caminas o vas en bicicleta al colegio en lugar de hacerlo en el coche, puedes ahorrar más de una tonelada de gases de efecto invernadero al año.

En clase Los cuadernos y libros de papel reciclado requieren entre un 70% y un 90% menos de energía para su fabricación. Además, ayudan a reducir la destrucción de los bosques, fundamentales para absorber el dióxido de carbono de la atmósfera.

¿Qué se puede hacer en el colegio?

¿Qué se puede hacer en casa?

Temperatura Bajar 2º el termostato en invierno y subirlo 2º en verano puede ahorrar hasta dos toneladas de emisión al año. Usar ventiladores de techo en lugar del aire acondicionado ahorra aún más toneladas.

Basura Compostar los restos de comida y separar los envases reduce el dióxido de carbono al reducir el que se produce en la elaboración de materiales nuevos, y también el metano liberado en los vertederos. Reciclar la mitad de la basura casera puede ahorrar 1.100 kg de emisiones al año.

Buenas noches, mundo Apagar las luces y los aparatos eléctricos antes de ir a la cama puede parecer obvio, pero mucha gente se olvida de hacerlo. Con un poco de esfuerzo, podemos ayudar a salvar el planeta mientras dormimos.

Papel

Cartón

Latas

Restos de comida

Vidrio

Plástico

Aluminio

Higiene Si cierras el grifo del agua mientras te lavas los dientes, puedes ahorrar al menos 7,6 litros de agua cada vez que te los cepilles, lo que suma un total de 5.526 litros de agua ahorrada al año.

El futuro

Lo que hagamos a partir de ahora para responder al cambio climático puede ser importante para el futuro de nuestro planeta. Reduciendo la emisión de gases de efecto invernadero, desarrollando nuevas tecnologías y utilizando fuentes de energía renovables podemos detener el calentamiento global. De nosotros depende la conservación del planeta.

Poco a poco La batalla contra el cambio climático comienza en casa. Todos debemos comprometernos para ahorrar energía y separar los residuos, y ser conscientes de cuánto contaminamos.

Utilizar un transporte verde Puede que algún día el combustible que utilicemos sea el hidrógeno, una fuente no contaminante. Mientras tanto, necesitamos vehículos y combustibles más limpios y eficientes.

La importancia de la atmósfera

Toda la vida del planeta depende de una delgada capa de gas, la atmósfera. Desde la cooperación internacional hasta el esfuerzo individual, todos debemos ayudar a reducir la emisión de carbono en el mundo. Podemos optar por esperar y no hacer nada, o podemos actuar ya y proteger el futuro de la Tierra.

Usar energías renovables En vez de quemar combustibles fósiles para obtener energía, deberíamos utilizar fuentes de energía renovables, como la solar y la eólica, que emiten muchos menos gases de efecto invernadero que los combustibles fósiles. Pero, sobre todo, tenemos que hacerlo ya, porque llevará tiempo desarrollarlas y generalizarlas.

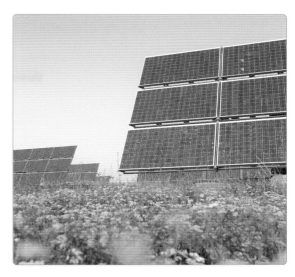

Preservar los bosques Debemos proteger nuestros preciosos bosques, sumideros de carbono. Sin el equilibrio natural que aportan los árboles, nuestro esfuerzo por reducir el carbono no servirá de nada.

Proteger a las especies amenazadas Reducir las emisiones de gases de efecto invernadero ayudará a proteger a las plantas y los animales, pero debemos además arreglar el daño ya hecho. Una opción es crear reservas y gestionar cuidadosamente la caza, la pesca, la agricultura y la tala de árboles.

Glosario

Aguas grises Aguas residuales procedentes de los baños, duchas, lavadoras o lavavajillas, que pueden reciclarse para el riego.

Aislante Material que se emplea para cubrir un objeto, persona o vivienda y reducir la pérdida de calor.

Atmósfera Capa de gases que rodea a un planeta. En la Tierra, se extiende desde la superficie hasta unos 10.000 km.

Biocombustible Combustible obtenido de la biomasa que se usa en lugar de los combustibles fósiles.

Biodegradable Término que describe los materiales o sustancias que pueden ser descompuestos por bacterias, insectos u otras sustancias naturales.

Biodiversidad Variedad de especies vivas, plantas, animales, hongos y bacterias, que viven en la Tierra o en una región específica de ella.

Blanqueamiento de los corales Pérdida de color de los arrecifes coralinos que se produce cuando mueren o al ser expulsadas las algas que viven en ellos. El blanqueo se asocia a cambios en la temperatura y a la acidez de las aguas marinas.

Bombilla compacta fluorescente Bombilla fluorescente con un recubrimiento interno de fósforo que gasta mucha menos energía que las bombillas incandescentes convencionales.

Calentamiento global Incremento observado en la temperatura media de la atmósfera terrestre que produce cambios climáticos y otras alteraciones.

Cambio climático Alteración en los patrones climáticos y meteorológicos debida al calentamiento global.

Capa de ozono Delgada capa de gas situada a unos 24 km de la superficie de la Tierra que sirve de escudo contra la radiación ultravioleta procedente del Sol.

Clima Conjunto de condiciones atmosféricas de una región. El clima de un área desértica, por ejemplo, es caluroso y seco.

Clorofluorocarbonos Productos químicos artificiales, empleados en los aparatos de aire acondicionado, refrigeradores y aerosoles, que dañan la capa de ozono y contribuyen al efecto invernadero una vez liberados en la atmósfera.

Combustibles fósiles Combustibles basados en el carbono, como el petróleo, el carbón y el gas natural, procedentes de los fósiles de plantas y animales de la antigüedad. Los combustibles fósiles se queman para producir energía y electricidad.

Compensación carbónica El acto de equilibrar los gases de efecto invernadero liberados por una persona u organización.

Compostaje Consiste en transformar en fertilizante los restos de comida y otros productos orgánicos, amontonando sobre ellos hojas, trozos de madera, estiércol u otros materiales para favorecer el desarrollo de bacterias.

Desertización Proceso por el que tierras ricas y fértiles se convierten en desiertos como resultado de los cambios en la meteorología o el clima locales, además de por el efecto de las actividades humanas.

Dióxido de carbono (CO$_2$) Gas incoloro e inodoro que se forma al quemar combustibles fósiles u otras materias. Los seres vivos lo producen durante su vida y al morir.

Ecológico Es un término que define a los materiales, productos, tecnologías o servicios conciliables con el medio ambiente, que se consideran inofensivos o relativamente seguros para éste.

Efecto invernadero Proceso por el que los gases de la atmósfera terrestre atrapan las radiaciones solares, absorbiéndolas y devolviéndolas a la Tierra, y calentando así la atmósfera, los océanos y la superficie del planeta.

Emisiones Sustancias liberadas al aire por las máquinas o por procesos naturales. El término se emplea a menudo para hacer referencia a los gases generados por los motores y las centrales eléctricas.

Energía eólica Energía renovable basada en la transformación del movimiento del viento en electricidad.

Energía hidroeléctrica Energía renovable basada en la transformación del movimiento del agua en electricidad. Las presas embalsan el agua de los ríos y la canalizan a través de generadores de turbina a alta velocidad.

Energía mareomotriz Energía renovable basada en la transformación de las corrientes oceánicas en electricidad.

Energía renovable Energía cuya fuente es de origen natural y existe en ciclos que se repiten una y otra vez. Es inagotable.

Energía solar Energía renovable basada en la transformación de la radiación solar en electricidad.

Energía undimotriz Energía basada en la transformación del movimiento del agua, cambiante con las olas, en electricidad.

Fósil Resto o vestigio de un ser vivo preservado en o como roca.

Gases de efecto invernadero Gases de la atmósfera terrestre que contribuyen al efecto invernadero. El dióxido de carbono (CO_2) constituye más de un 99% de estos gases.

Generador Máquina que emplea el movimiento, normalmente producido al girar una turbina, para producir electricidad.

Glaciación Largo periodo en la historia de la Tierra en el que el clima es muy frío y casi la totalidad del planeta llega estar cubierta de hielo y glaciares.

Glaciar Masa gigantesca de hielo formada por nieve compacta que fluye lentamente sobre la tierra durante miles de años.

Huella de carbono Estimación del impacto de las actividades de una persona en el medioambiente. Se calcula en función de la cantidad de gases de efecto invernadero que libera dicha persona.

Huracán Tormenta intensa que se forma sobre aguas tropicales cálidas y produce fuertes vientos y violentas tormentas de agua.

Industria Conjunto de operaciones materiales ejecutadas para la obtención, transformación o transporte de uno o varios productos naturales.

Lluvia ácida Lluvia o nieve de elevada acidez que se genera al quedar atrapados en las nubes óxidos de nitrógeno y azufre.

Medioambiente Entorno físico y biológico que nos rodea.

Metano Gas inodoro, inflamable, generado por organismos vivos o a través de procesos naturales. Es el principal ingrediente del gas natural y uno de los gases de efecto invernadero presentes en la atmósfera.

Núcleo de hielo Muestra de hielo prehistórico que estudian los científicos para estudiar la atmósfera y el clima del planeta en la antigüedad.

Ola de calor Periodo prolongado con temperaturas extremadamente altas.

Óxidos de nitrógeno Gases, liberados sobre todo por los escapes de los vehículos, que contribuyen tanto al calentamiento global como a la formación de contaminación y lluvia ácida.

Paludismo (malaria) Enfermedad infecciosa de la sangre transmitida por mosquitos que mata a miles de personas al año en regiones tropicales.

Partido Verde Organización política comprometida con la protección del medioambiente y los ecosistemas naturales.

Protocolo de Kioto Acuerdo alcanzado en 2005 entre gobiernos de todo el mundo. Su propósito es limitar o reducir las emisiones de gases de efecto invernadero para frenar el cambio climático.

Radiación Energía que se desplaza en forma de ondas o rayos. La radiación solar es la fuente de toda la energía de la Tierra, e incluye la radiación ultravioleta (UV), la luz visible y la radiación infrarroja (calorífica).

Reciclar Someter un material usado a un proceso para que se pueda volver a utilizar.

Reforestación Plantación de árboles nuevos para reemplazar o renovar bosques.

Separar Clasificar los residuos de acuerdo con los diferentes tipos de proceso de reciclado.

Sequía Periodo prolongado de clima extremadamente seco en el que hay pocas (o ninguna) precipitaciones.

Tecnología verde Maquinaria y procesos desarrollados para ser menos dañinos con el medioambiente que las tecnologías existentes.

Turbina Rueda con paletas curvas que permite convertir la energía del agua o el aire en movimiento en electricidad.

Vehículo híbrido Vehículo que combina un motor de explosión convencional (de gasolina) y un motor eléctrico alimentado por una batería autorrecargable.

Vertedero Lugar donde se entierran las basuras, formando montones o fosas que liberan gas metano al descomponerse.

Índice de términos

Créditos

Imágenes
Clave a=arriba; i=izquierda; d=derecha; ai=arriba izquierda; aci=arriba centro izquierda; ac=arriba centro; acd=arriba centro derecha; ad=arriba derecha; ci=centro izquierda; c=centro; cd=centro derecha; ab=abajo; abi=abajo izquierda; abci=abajo centro izquierda; abc=abajo centro; abcd=abajo centro derecha; abd=abajo derecha.

AAP = Australian Associated Press; CBT = Corbis; GI = Getty Images; iS = istockphoto.com; N_T = NASA/TOMS; N_V = NASA/Visible Earth; NOAO = National Optical Astronomy Observatory; PD = Photodisc; PL = photolibrary.com; SPL = Science Photo Library; SH = Shutterstock

Cubierta GI, fondo iS; **contracubierta** abd Ken Rinkel, ai Lionel Portier; **lomo** Gabrielle Green.

4-5c GI; **5**abd iS; **6-7**c PL; **8**ci AAP; **9**a GI; **10**ad CBT; **11**a GI; **12**cd iS; **13**ci CBT; **16**ci, bcd, d, ad GI; cd iS; **17**a GI; **19**ac PD; **20-21**c PL; **22**abi GI; d SPL; **23**i SPL; **24**ad SH; **25**d AAP; ai GI; **26**ad AAP; **27**cd, ad N_V; ai PL; **28-29**ab NOAO; ad AAP; **29**ai CBT; ad AAP; **30**ci AAP; **31**a GI; **32**abi CBT; abdPL; cd iS; **33**abd SPL; **34**abd GI; abi SH; **35**abi, abd, c iS; ai GI; **36**c GI; **38**abd GI; **39**ab, abcd, bl, abd N_T; ai GI; ad AAP; **40**ad SeaGen; **41**abi iS; a AAP; **42**c, ci PL; **44**abi PL; **46**abd MP; ai CBT; **47**cd SPL; a CBT; **48-49**c GI; **50**abi, c, cd iS; abd AAP; **52-53**c NASA; **53**ad iS; ad Ad-Libitum; **56**ab AAP; **58**abc, abd, c, ad iS; **59**abd, c, ci, cd, d, ac, ai, ad iS; **60**ci, abi GI; c N_V; **61**abd GI; cd, ad iS.

Ilustraciones
Peter Bull Art Studio 14ci, 14-15c; **Andrew Davies/Creative Communication** 8a, 17, 27abd, 46ci, 54-5c; **Chris Forsey** 11abci, abcd, abi, abd; **Malcolm Godwin** 43c; **Gabrielle Green** 41abd; **Gabrielle Green/iStock** 1c, 32ad, 51c, 55abd; **iStock** 8cd, 9c, 19ad, 43ac aci; **Markus Junker** 40i; **David Kirshner** 34ad; **Lionel Portier** 12i, 23cd d; **Ken Rinkel** 8c, 9ci, 18c, 19acd ai ad, 24abi, 25abi, 26abc, 30ab, 31abd, 35ad, 43acd ad, 44abcd c, 47ab, 55abc, 56ad, 57c, 59abc; **Michael Saunders** 10abci, abcd, abi, abd; **Spellcraft Studio e.K.** 33c.